Escola: _____

Nome: _____

Ano: _____ Período: _____ Data: _____ / _____ / _____

Utilize o quadro abaixo para verificar aspectos importantes de sua produção.						
Critérios de avaliação: 4	**Cada critério: de zero a 2,5 pontos**					
1. Adequação do registro de linguagem escrito (formal ou informal).	0	0,5	1,0	1,5	2,0	2,5
2. Compreensão da proposta de produção e adequação ao gênero textual.	0	0,5	1,0	1,5	2,0	2,5
3. Conhecimento de mecanismos (verbais e não verbais) pertinentes ao gênero.	0	0,5	1,0	1,5	2,0	2,5
4. Organização textual e criatividade.	0	0,5	1,0	1,5	2,0	2,5

_____

_____

_____

_____

_____

_____

_____

_____

_____

_____

_____

_____

_____

_____

_____

_____

UNIDADE 2 — Histórias e paródias

Escola: _____

Nome: _____

Ano: _____ Período: _____ Data: _____ / _____ / _____

Utilize o quadro abaixo para verificar aspectos importantes de sua produção.						
Critérios de avaliação: 4	**Cada critério: de zero a 2,5 pontos**					
1. Adequação do registro de linguagem escrito (formal ou informal).	☐ 0	☐ 0,5	☐ 1,0	☐ 1,5	☐ 2,0	☐ 2,5
2. Compreensão da proposta de produção e adequação ao gênero textual.	☐ 0	☐ 0,5	☐ 1,0	☐ 1,5	☐ 2,0	☐ 2,5
3. Conhecimento de mecanismos (verbais e não verbais) pertinentes ao gênero.	☐ 0	☐ 0,5	☐ 1,0	☐ 1,5	☐ 2,0	☐ 2,5
4. Organização textual e criatividade.	☐ 0	☐ 0,5	☐ 1,0	☐ 1,5	☐ 2,0	☐ 2,5

_____

_____

_____

_____

_____

_____

_____

_____

_____

_____

_____

_____

_____

_____

_____

_____

_____

_____

7

UNIDADE 3 — De texto em texto

Escola: _____

Nome: _____

Ano: _____ Período: _____ Data: _____ / _____ / _____

Utilize o quadro abaixo para verificar aspectos importantes de sua produção.						
Critérios de avaliação: 4	**Cada critério: de zero a 2,5 pontos**					
1. Adequação do registro de linguagem escrito (formal ou informal).	☐ 0	☐ 0,5	☐ 1,0	☐ 1,5	☐ 2,0	☐ 2,5
2. Compreensão da proposta de produção e adequação ao gênero textual.	☐ 0	☐ 0,5	☐ 1,0	☐ 1,5	☐ 2,0	☐ 2,5
3. Conhecimento de mecanismos (verbais e não verbais) pertinentes ao gênero.	☐ 0	☐ 0,5	☐ 1,0	☐ 1,5	☐ 2,0	☐ 2,5
4. Organização textual e criatividade.	☐ 0	☐ 0,5	☐ 1,0	☐ 1,5	☐ 2,0	☐ 2,5

_____

_____

_____

_____

_____

_____

_____

_____

_____

_____

_____

_____

_____

_____

_____

_____

_____

12

UNIDADE 4) Palavras poéticas

Escola: _____

Nome: _____

Ano: _____ .   Período: _____   Data: _____ / _____ / _____

Utilize o quadro abaixo para verificar aspectos importantes de sua produção.						
Critérios de avaliação: 4	**Cada critério: de zero a 2,5 pontos**					
1. Adequação do registro de linguagem escrito (formal ou informal).	0	0,5	1,0	1,5	2,0	2,5
2. Compreensão da proposta de produção e adequação ao gênero textual.	0	0,5	1,0	1,5	2,0	2,5
3. Conhecimento de mecanismos (verbais e não verbais) pertinentes ao gênero.	0	0,5	1,0	1,5	2,0	2,5
4. Organização textual e criatividade.	0	0,5	1,0	1,5	2,0	2,5

UNIDADE 5 — A alma do negócio

Escola: _____

Nome: _____

Ano: _____ Período: _____ Data: _____ / _____ / _____

Utilize o quadro abaixo para verificar aspectos importantes de sua produção.						
Critérios de avaliação: 4	**Cada critério: de zero a 2,5 pontos**					
1. Adequação do registro de linguagem escrito (formal ou informal).	☐ 0	☐ 0,5	☐ 1,0	☐ 1,5	☐ 2,0	☐ 2,5
2. Compreensão da proposta de produção e adequação ao gênero textual.	☐ 0	☐ 0,5	☐ 1,0	☐ 1,5	☐ 2,0	☐ 2,5
3. Conhecimento de mecanismos (verbais e não verbais) pertinentes ao gênero.	☐ 0	☐ 0,5	☐ 1,0	☐ 1,5	☐ 2,0	☐ 2,5
4. Organização textual e criatividade.	☐ 0	☐ 0,5	☐ 1,0	☐ 1,5	☐ 2,0	☐ 2,5

UNIDADE 6 — De olho na cultura popular

Escola: _____

Nome: _____

Ano: _____ Período: _____ Data: _____ / _____ / _____

Utilize o quadro abaixo para verificar aspectos importantes de sua produção.						
Critérios de avaliação: 4	**Cada critério: de zero a 2,5 pontos**					
1. Adequação do registro de linguagem escrito (formal ou informal).	0	0,5	1,0	1,5	2,0	2,5
2. Compreensão da proposta de produção e adequação ao gênero textual.	0	0,5	1,0	1,5	2,0	2,5
3. Conhecimento de mecanismos (verbais e não verbais) pertinentes ao gênero.	0	0,5	1,0	1,5	2,0	2,5
4. Organização textual e criatividade.	0	0,5	1,0	1,5	2,0	2,5

_____

_____

_____

_____

_____

_____

_____

_____

_____

_____

_____

_____

_____

_____

_____

_____

_____

_____

UNIDADE 7 — Fato aqui, fato acolá

Escola: _____

Nome: _____

Ano: _____ Período: _____ Data: _____ / _____ / _____

Utilize o quadro abaixo para verificar aspectos importantes de sua produção.						
Critérios de avaliação: 4	**Cada critério: de zero a 2,5 pontos**					
1. Adequação do registro de linguagem escrito (formal ou informal).	0	0,5	1,0	1,5	2,0	2,5
2. Compreensão da proposta de produção e adequação ao gênero textual.	0	0,5	1,0	1,5	2,0	2,5
3. Conhecimento de mecanismos (verbais e não verbais) pertinentes ao gênero.	0	0,5	1,0	1,5	2,0	2,5
4. Organização textual e criatividade.	0	0,5	1,0	1,5	2,0	2,5

_____

_____

_____

_____

_____

_____

_____

_____

_____

_____

_____

_____

_____

_____

_____

_____

_____

_____

Escola: _____

Nome: _____

Ano: _____ Período: _____ Data: _____ / _____ / _____

Utilize o quadro abaixo para verificar aspectos importantes de sua produção.						
Critérios de avaliação: 4	**Cada critério: de zero a 2,5 pontos**					
1. Adequação do registro de linguagem escrito (formal ou informal).	☐ 0	☐ 0,5	☐ 1,0	☐ 1,5	☐ 2,0	☐ 2,5
2. Compreensão da proposta de produção e adequação ao gênero textual.	☐ 0	☐ 0,5	☐ 1,0	☐ 1,5	☐ 2,0	☐ 2,5
3. Conhecimento de mecanismos (verbais e não verbais) pertinentes ao gênero.	☐ 0	☐ 0,5	☐ 1,0	☐ 1,5	☐ 2,0	☐ 2,5
4. Organização textual e criatividade.	☐ 0	☐ 0,5	☐ 1,0	☐ 1,5	☐ 2,0	☐ 2,5

_____
_____
_____
_____
_____
_____
_____
_____
_____
_____
_____
_____
_____
_____
_____
_____
_____
_____

APOEMA
LEITURA E PRODUÇÃO DE TEXTO

CADERNO DE TEXTO

NÃO PODE SER VENDIDO SEPARADAMENTE, PARTE INTEGRANTE DA OBRA.

Rua Conselheiro Nébias, 887
São Paulo/SP – CEP 01203-001
Fone: +55 11 3226-0211
Filiais e Distribuidores em todo o Brasil
apoema.editoradobrasil.com.br

ISBN 978-85-10-08132-0